Без се

CW00400213

Igor' Zabelin: Uden øjenvidner
Igor' Zabelin: Without witnesses
Igor' Zabelin: Ohne Zeugen
Igor' Zabelin: Sans témoins
Igor' Zabelin: Senza testimoni

ИГОРЬ ЗАБЕЛИН

БЕЗ СВИДЕТЕЛЕЙ

The vocabulary is based on
Schacht/Vangmark: Russian-English Basic Dictionary
Schacht/Vangmark: Russisk-Dansk Grundordbog

Series editor: Ulla Malmmose

EDITORS
Helge Vangmark
Sigrid Schacht

Illustrations: Oskar Jørgensen
Cover illustration: Palle Schmidt
Cover layout: Mette Plesner

ISBN Danemark 978-87-23-90460-7
www.easyreader.dk

Easy Readers EGMONT

Printed in Denmark by
Sangill Grafisk Produktion, Holme Olstrup

ИГОРЬ МИХА́ЙЛОВИЧ ЗАБЕ́ЛИН

роди́лся в 1927 году́ в Ленингра́де. В го́ды войны́ жил в Сиби́ри, рабо́тал в колхо́зе, в МТС, в Курга́нской областно́й библиоте́ке. В 1944 году́ поступи́л на географи́ческий факульте́т Моско́вского университе́та, кото́рый зако́нчил в 1948 году́.

Забе́лин рабо́тал в разли́чных зкспеди́циях и побыва́л во мно́гих райо́нах Сове́тского сою́за. Он иска́л зо́лото в Туби́нской автоно́мной о́бласти, обсле́довал быт рабо́чих из у́гольных ша́хтах Чуко́тки, вёл Фи́зико-географи́ческие иссле́дования в Буря́т-Монго́лии и т. д.

С 1952 занима́ется литерату́рной рабо́той. Автор повесте́й и расска́зов из жи́зни гео́логов и гео́графов. В пе́рвом его́ сбо́рнике «Там, где схо́дятся тро́пы» 1956 нахо́дится расска́з «Без свиде́телей».

Други́е произво́дства Забе́лина: «Встре́чи, кото́рых не́ было» 1958, «По́яс жи́зни» 1960, «И не бу́дет конца́» 1964.

returned.
abandoned

база

геолог

Несколько дней назад Светлов возвращался в Ольховну. Он больше месяца работал в тайге* и всё время думал о любимой девушке Соне. Но как только он возвратился на базу*, он узнал, что девушка бросила его. Она решила выйти замуж* за молодого геолога* Ветрина. Товарищ Науменко сообщил ему новость и долго говорил о жён-

---

* тайга: большие леса в Сибири
* выйти замуж за: стать женой

щинах, которых нельзя понять; но Светлов ничего не слышал.

Очень долго Светлов надеялся на Соню, и ему было нелегко поверить во всё это, потому что он уже немолодой. Он жил и работал для того, чтобы его полюбила Соня.

Так он думал только час назад. Что случилось с Соней и почему она так легко забыла о нём, он не мог понять. Значит, она вообще не любила его. Или во всём виноват Ветрин? Да, конечно, он, молодой, красивый парень, заставил её потерять голову.

Светлов очень волновался при мысли о Ветрине. Он сидел у себя в комнате и только иногда кивал головой. Если бы они встретились где-нибудь в лесу, он не мог бы держать себя в руках. Может, он даже убил бы этого парня!

Науменко то и дело продолжал говорить, и, наконец, Светлов сердито сказал ему:

— Уйди ты, друг, к себе.

Когда ушёл Науменко, Светлов встал и подошёл к зеркалу* и долго смотрел на своё усталое лицо. Ему

зеркало

было три́дцать шесть лет, но сейча́с ему́ мо́жно бы́ло дать за́ со́рок.

— Да, — сказа́л он себе́, — Со́ня права́. Кому́ я ну́жен!

Светло́в ме́дленно вы́шел из до́ма. Он реши́л не заходи́ть к Со́не, а пря́мо подошёл к до́му нача́льника, что́бы сообщи́ть ему́ о том, что он верну́лся.

У до́ма нача́льника он уви́дел Ве́трина. Тот шёл и улыба́лся. Светло́в с трудо́м заста́вил себя́ споко́йно пройти́ ми́мо Ве́трина.

Ве́чером пришёл Нау́менко с буты́лкой* вина́.

буты́лка

— Вы́пьем? — спроси́л он.

— Ну, ла́дно, — кивну́д Светло́в.

Он пил, но от вина́ ему́ станови́лось всё грустне́е и грустне́е. Нау́менко опя́ть то и де́ло говори́л, а Светло́в опя́ть его́ не слу́шал, и то́лько когда́ тот что́-то заме́тил о Ве́трине, Светло́в спроси́л:

— Что ты говори́шь о Ве́трине?

— Он глу́пый. Челове́к недо́брый, а гео́лог плохо́й.

— Да, — согласи́лся Светло́в.

Сам он ни ра́зу пе́ред Нау́менко не говори́л о Ве́трине, но ему́ бы́ло прия́тно, что тот так выража́ется.

Они пили почти до утра, и когда небо стало светлее, Светлов сказал Науменко, чтобы тот уходил.

Но Светлов не лёг спать. Он открыл окно и стал глядеть на пустую, тихую улицу. Но ему не стало спокойнее.

На следующий день Науменко опять пришёл с бутылкой вина, но Светлов пить отказался. Три дня он лежал на кровати, не выходил из дома и ничего не делал. На пятый день начальник вызвал к себе Светлова.

У начальника сидел Ветрин. Светлов прошёл мимо него и сделал вид, что не видел его, и сел к столу.

— Вчера мы получили сообщение по радио из Иркутска, — сказал начальник. — Требуют, чтобы мы выполнили новую задачу: снять ещё одну часть нашего края. Но край очень большой и придётся каждому из вас снять свою часть. Одну сделаешь ты, другую — Ветрин. До горы Амги вы можете идти вместе, потом каждый из вас должен пойти в свою сторону и через две недели встретитесь на горе Бии. Заметьте это место у себя на картах*. После окончания работы вам надо встретиться там третьего октября, ни раньше, ни позже. Потом прямо пойдёте до реки Улука и оттуда до базы. Во время пути Светлов будет старшим. —

ка́рта

ВОПРО́СЫ

1. Что узна́л Светло́в, когда́ он возврати́лся на ба́зу?

2. Кто сообщи́л ему́ но́вость?

3. Что ду́мал Светло́в о Ве́трине?

4. Ско́лько лет бы́ло Светло́ву?

5. Как чу́вствовал он себя́ ве́чером?

6. Кто вы́звал Светло́ва к себе́?

7. Кто ещё сиде́л в ко́мнате нача́льника?

8. Что нача́льник сообщи́л им о но́вой зада́че?

пояс

топор

ружьё

котёл   молоток

рюкзак

Светло́в реши́л идти́ до горы́ Амги́ уже́ на сле́дующий день, ра́но у́тром, вы́шел в путь. Очень мно́го раз с рюкзако́м* за спино́й, с геологи́ческим молотко́м* за по́ясом* уходи́л он с ба́зы в тайгу́, и ка́ждый раз среди́ гор и тайги́ он чу́вствовал себя́ счастли́вым, свобо́дным, уве́ренным в со́бственных си́лах. И да́же тепе́рь он ра́довался э́той вели́кой приро́де.

Идти́ бы́ло нелегко́, потому́ что пришло́сь взять с собо́й о́чень мно́го провиа́нта*, котёл*, топо́р* и – про́тив обыкнове́ния – ружьё* на слу́чай, е́сли не хва́тит провиа́нта. Светло́в шёл и почти́ не замеча́л тяжёлый рюкза́к. В рюкзаке́ у него́ лежа́ло ещё что́-то необы́чное: бу-

---

* провиа́нт: то, что едя́т в пути́

тылка вина́. Светло́в никогда́ не пил, но на э́тот раз он реши́л взять с собо́й э́то «лека́рство»*.

Места́, по кото́рым шёл Светло́в, уже́ снима́ли други́е гео́логи, и он мог бы идти́ бы́стро. Но он всё вре́мя уходи́л в сто́рону, поднима́лся к места́м, где находи́лись интере́сные ка́мни, и собира́л мно́го краси́вых куско́в. До́ма, в Ирку́тске, у него́ уже́ бы́ло большо́е собра́ние интере́сных камне́й, и ка́ждый из них занима́л своё ме́сто в его́ па́мяти. Но тепе́рь ни на мину́ту он не перестава́л ду́мать о Со́не и о Ве́трине, о том, как он ненави́дел* Ве́трина. Светло́в реши́л, что на́до бу́дет сде́лать так, что́бы они́ не встре́тились в тайге́. Заче́м ему́ э́то ну́жно? Пусть Ве́трин идёт оди́н. Он опя́ть взял рюкза́к себе́ на пле́чи и пошёл да́льше.

* лека́рство: то, что принима́ет больно́й
* ненави́деть: си́льно не люби́ть

ВОПРОСЫ

1. Что решил Светло́в?
2. Как он чу́вствовал себя́ в тайге́?
3. Что он взял с собо́й?
4. Почему́ он ча́сто уходи́л в сто́рону?
5. Реши́л ли он встре́титься с Ве́триным?

костёр палатка

Светло́в пришёл к ме́сту встре́чи то́лько четвёртого октября́. Он зажёг* костёр* и на вся́кий слу́чай устро́ил ма́ленькую пала́тку*. Пото́м он внима́тельно посмотре́л вокру́г, но никако́го не уви́дел. Ему́ ста́ло я́сно, что Ве́трин и́ли прошёл по Би́и, и не останови́лся на ме́сте встре́чи, и́ли ещё не пришёл. И в том и в друго́м слу́чае Светло́в мог его́ не ждать. Нача́льник обяза́тельно пове́рил бы ему́, что он действи́тельно был на ме́сте. И неудиви́тельно, что два челове́ка в огро́мной тайге́ не встреча́ются, осо́бенно е́сли оди́н из них о́чень нео́пытный.

 Светло́в сиде́л на траве́. Очень прия́тно бы́ло так си-

---

 * зажёчь: сде́лать ого́нь

деть на со́лнце. Пото́м он лёг пря́мо на зе́млю и засну́л. Просну́лся он то́лько под ве́чер.

Весь ве́чер он сиде́л у костра́ и ду́мал, что дней че́рез де́сять-двена́дцать придёт на ба́зу, и ещё дней че́рез де́сять в Ирку́тск. Но мысль о возвраще́нии не принесла́ ему́ ра́дости: ра́ньше он наде́ялся верну́ться с Со́ней...

По́сле ча́я он сра́зу же засну́л, совсе́м уста́лый от до́лгого пути́ – а у́тром он споко́йно стал собира́ться. Когда́ он устро́ил рюкза́к и други́е ве́щи, он ду́мал, что на́до ещё немно́го ждать. Ве́трин, коне́чно, недо́брый челове́к, но всё-таки... «Како́е мне де́ло, поги́бнет и́ли не поги́бнет Ве́трин, и почему́ он обяза́тельно до́лжен поги́бнуть без меня́?» – сказа́л он себе́. Он положи́л в сто́рону рюкза́к и сно́ва лёг на траву́.

Че́рез не́которое вре́мя он поду́мал, что уж е́сли ждать, то глу́по сиде́ть на ме́сте и лу́чше пойти́ иска́ть друго́го. Мо́жет, Ве́трин слома́л* себе́ ру́ку и́ли но́гу и без сил ползёт* сюда́. Мысль э́та показа́лась Светло́ву вполне́* возмо́жной. Ра́зве э́ти па́рни уме́ют ходи́ть по гора́м!

нога́ слома́лась

---

* ползти́: ме́дленно дви́гаться по земле́
* вполне́: соверше́нно

И в самом деле, если не вернётся Ветрин, все будут показывать пальцем на Светлова: это он, скажут, из-за Сони его убил!

Светлов достал карту и положил её перед собой. Ветрин мог выйти к горе Бии по двум тропам*, но какую из них он выбрал, Светлов не знал. Наконец, он решился и пошёл. И чем дальше он шёл, тем сильнее он представлял себе, что случилось с Ветриным. Он не смог бы объяснить, почему он так уверен, что у Ветрина не всё в порядке.

Светлов шёл час, другой, третий, и когда солнце стало садиться, увидел далеко в тайге человека с большим рюкзаком за спиной. Он шёл как ни в чём не бывало, и Светлов понял, что тот совсем здоровый. Он из-за этого страшно рассердился.

Они не подали друг другу руки.

— Впрочем, сегодня пятое октября, — едва слышно сказал Светлов.

— Впрочем, я никого не просил ждать меня, а тем более заходить за мной. Я сам нашёл бы место!

— Вот что, когда ты станешь начальником, тогда будешь решать. А пока ты должен слушать меня.

— Пошёл ты! — сквозь зубы сказал Ветрин.

— Ну!

Они стояли друг против друга: один невысокого роста, широкоплечий, второй стройный* и высокий. Как они ненавидели друг друга. Если бы Светлов нашёл

---

* тропа: узкая дорога
* стройный: не толстый

Ветрина беспомощным, ему было бы легче. Но тот только стоял и улыбался.

Тогда Светлов сердитым голосом сказал ему:

— Нельзя стоять. Иди вперёд!

ВОПРОСЫ

1. Когда пришёл Светлов к месту встречи?

2. Был ли в это время Ветрин уже на месте?

3. Решил ли Светлов ждать его?

4. Что он думал?

5. Почему он иначе решил на следующее утро?

6. Что он думал о Ветрине?

7. Сколько времени он шёл и искал Ветрина?

8. Был ли Ветрин на самом деле беспомощным?

9. Как прошла встреча?

10. А что, наконец, решил Светлов?

4

Ве́трин прошёл ми́мо Светло́ва, он едва́ ви́дел его́. Он шёл впереди́, легко́ пры́гал с ка́мня на ка́мень, сло́вно он хоте́л показа́ть: вот так на́до ходи́ть по гора́м. Светло́в ме́дленно шёл за ним.

А да́льше произошло́ сле́дующее: Ве́трин легко́ пры́гал с одного́ ка́мня на друго́й, но сра́зу же его́ нога́ не попа́ла на ка́мень, рюкза́к полете́л ему́ че́рез го́лову, и с коро́тким кри́ком он упа́л на зе́млю.

Светло́в подошёл к нему́ и спроси́л:

— До́лго ты ду́маешь тут лежа́ть?

— Нога́ . . . — чуть слы́шно сказа́л Ве́трин.

Светло́ву удало́сь подня́ть ка́мень, и он стал дога́дываться о том, что случи́лось. Но как то́лько он положи́л ру́ку на но́гу Ве́трина, тот от бо́ли* гро́мко закрича́л.

— Слома́лась, — сказа́л Светло́в. — Что же, тебя́ на рука́х тепе́рь нести́?

Ве́трин молча́л. Светло́в посмотре́л на его́ се́рое лицо́, и ему́ ста́ло стра́шно. Он соверше́нно забы́л, что ещё час наза́д мечта́л найти́ Ве́трина и́менно в тако́м положе́нии, а тепе́рь он не знал что де́лать. Наде́яться на по́мощь он не мог, а тащи́ть на себе́ това́рища сквозь тайгу́ бо́льше 150 киломе́тров, че́рез го́ры и ре́ки — э́то была́ ужа́сная мысль.

Он о́чень рассерди́лся, что Ве́трин так неосторо́жно пры́гал по камня́м.

---

* боль: чу́вство, когда́ что́-нибудь боли́т

— Лу́чше бы ты до́ма сиде́л у де́вушки, — сказа́л он.

— Е́сли ты ещё раз бу́дешь говори́ть о Со́не, я тебя́ убью́, — отве́тил Ве́трин. — Уйди́!

Ве́трин наконе́ц нашёл тяжёлый ка́мень и собира́лся бро́сить, но Светло́в то́лько засмея́лся и споко́йно ушёл. Он уходи́л всё да́льше и да́льше.

Ве́трин смотре́л, как ухо́дит Светло́в, и он понима́л, что оста́ться одному́ — зна́чит поги́бнуть, но всё-таки не позва́л Светло́ва и не попроси́л по́мощи. Светло́в исче́з за дере́вьями. Тогда́ Ве́трин лёг на спи́ну и лежа́л и чу́вствовал себя́ о́чень пло́хо. Вдруг ему́ пришла́ в го́лову мысль о Со́не. Он никогда́ не уви́дит её. Ве́трину хоте́лось крича́ть, пла́кать, бежа́ть к ней, но он мо́лча лежа́л и смотре́л в я́сное не́бо. Он напряжённо пред-ставля́л себе́, что ему́ де́лать.

— Ши́ны*! На́до доста́ть ши́ны — но до ле́са далеко́, — поду́мал он и постара́лся встать, но боль в ноге́ была́ ужа́сной, и он упа́л.

Он не по́мнил, ско́лько вре́мени он так лежа́л — ему́ каза́лось бесконе́чно до́лго. Вокру́г всё вре́мя стоя́ла тишина́, то́лько был слы́шен шум от бли́зкой реки́.

ши́ны

ВОПРОСЫ

1. Как шёл Ве́трин по камня́м?

2. Что вдруг случи́лось?

3. Почему́ Светло́ву ста́ло стра́шно?

4. Ско́лько киломе́тров оста́лось до ба́зы?

5. Что Светло́в сказа́л Ве́трину?

6. Что хоте́л Ве́трин бро́сить на Светло́ва?

7. А что де́лал Светло́в?

8. Как чу́вствовал себя́ Ве́трин?

9. Что захоте́л Ве́трин сде́лать?

5

Ве́трин не сра́зу услы́шал сла́бый шум со стороны́, и Светло́ва он уви́дел то́лько тогда́, когда́ тот совсе́м бли́зко подошёл к нему́. В руке́ Светло́в держа́л две ро́вные ве́тки* для шин. Ве́трин от удивле́ния ти́хо запла́кал, но Светло́в, коне́чно, не реша́л бро́сить беспо́мощного това́рища. Он устро́ил ши́ны, пото́м взял су́мку Ве́трина и наде́л себе́ че́рез пле́чи.

— На́до бы костыли́* сде́лать, — сказа́л Ве́трин, но Светло́в не обрати́л внима́ния на его́ слова́.

— Встава́й! — ко́ротко сказа́л он.

Когда́ Ве́трин встал на одну́ но́гу, Светло́в заста́вил его́ лечь ему́ на пле́чи — го́лову в одну́ сто́рону, но́ги в другу́ю.

— С костыля́ми я бы сам пошёл.

— До́лго мне ждать?

Ве́трин лёг ему́ на спи́ну, и Светло́в понёс его́.

Нести́ бо́льше 70 килогра́ммов по́ лесу, нести́ всё вре́мя осторо́жно, бы́ло о́чень тру́дно. Но Светло́в ме́дленно шёл и внима́тельно выбира́л места́, куда́ поста́-

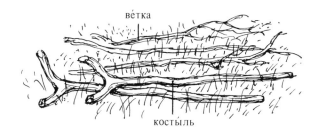

ве́тка

костыль

вить ногу. Он прошёл менее километра, прежде чем остановился чтобы отдыхать. Он некоторое время лежал на земле, потом поднялся и снова понёс Ветрина около километра.

Так это продолжалось весь день, но, наконец, Светлов почувствовал, что больше сегодня идти не может. Солнце садилось и следовало подумать, как и где проводить ночь. Он остановился на поляне*, положил Ветрина на землю и зажёг костёр.

У Светлова осталось мало провианта, только немного хлеба и немного сахара. Он молча подал Ветрину немного хлеба и сахара. Тот так же молча взял их и стал есть. Река была недалеко, и Ветрину очень хотелось пить, но всё-таки он не решался попросить Светлова принести ему воды. Скоро Светлов лёг на землю и сразу же заснул.

А Ветрин, сколько ни старался, заснуть не мог. Сильно болела нога, и ему всё время было очень стыдно. «Вот если бы со Светловым что-нибудь случилось и я бы помог ему, было бы другое», — грустно думал он. Ночь была холодной и он лёг поближе к огню. Так он и не мог заснуть всю ночь и только к утру он заснул, но Светлов почти сразу же разбудил его.

---

* поляна: открытое место в лесу

ВОПРÓСЫ

1. Что принёс Светлóв?

2. Почемý Вéтрин заплáкал?

3. Почемý Вéтрин хотéл сдéлать костылѝ?

4. Как Светлóв понёс Вéтрина?

5. Где онѝ остановѝлись вéчером?

6. Скóлько у них бы́ло провиáнта?

7. Решáлся Вéтрин попросѝть Светлóва принестѝ воды́?

8. Почемý не мог Вéтрин заснýть?

6

Среди дня они остановились, и Светлов ушёл назад за вещами Ветрина. Перед тем как уйти, он сказал Ветрину, чтобы тот зажёг костёр, когда станет темно. А то Светлов не найдёт место. Ветрин обещал, но как только Светлов исчез за деревьями, Ветрин лёг на землю и заснул.

Проснулся он только, когда его сильно кто-то толкнул. Была глубокая ночь! Над ним стоял сердитый Светлов.

— Вот я стараюсь для тебя, а ты не можешь следить за огнём. Мне хочется тебя бросить!

— Ну, брось, — ответил Ветрин. — Я заснул и всё тут. С тобой никогда такого не случилось?

— Я тебе покажу, что может случиться!

Всю ночь Ветрин не спал и твёрдо решил сделать костыли и пойти без помощи Светлова. Он так и сказал ему утром, когда они позавтракали.

— Делай, — ответил Светлов, и даже не посмотрел в его сторону.

Светлов достал четыре сильные ветки, и Ветрин сделал себе костыли. Пока он работал, Светлов взял свой и его рюкзак, чтобы оставить на месте всё, что им не нужно. Оказалось, что у Ветрина тоже очень мало провианта.

— Провианта нам просто не хватит, — тихо сказал Светлов.

Что мог ответить Ветрин? Он меньше, чем следовало, взял с собой. Теперь ему приходилось молчать.

Когда Ветрин сделал костыли, оказалось – к сожалению – что на них слишком медленно идти, и надо было опять остановиться.

Ветрин с трудом сел на землю, и Светлов с топором ушёл к реке.

Вскоре он вернулся с маленькими ёлками*, из которых он стал делать волокушу*.

На следующее утро Светлов положил на волокушу палатку и сказал Ветрину, чтобы он лёг на неё, потом устроил рядом с ним рюкзаки, надел ремень* себе на плечи и осторожно двинулся вперёд. К счастью, Светлов мог довольно быстро тащить волокушу, и хотя и устал, он прошёл за день не менее десяти километров.

Вечером Ветрин взял на себя работу с костром и котёлком, в котором он готовил некрепкий суп. Светлов между тем лежал на земле с закрытыми глазами. Ему хотелось отказаться от супа, но, наконец, он съел.

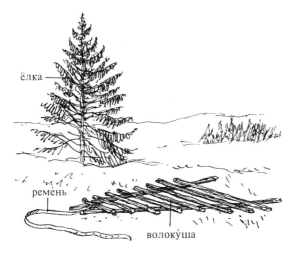

ёлка

ремень

волокуша

ВОПРОСЫ

1. Почему́ Светло́в ушёл наза́д?

2. Что до́лжен был де́лать Ве́трин?

3. А что случи́лось?

4. Что сказа́л Светло́в, когда́ он верну́лся?

5. Что сде́лал себе́ Ве́трин?

6. Мог ли Ве́трин идти́ на костыля́х?

7. Что пото́м сде́лал Светло́в?

8. Ско́лько киломе́тров они́ прошли́ в э́тот день?

7

Ещё три дня тащи́л Светло́в волоку́шу, тащи́л то в го́ру, то под го́ру, хотя́ ему́ бы́ло почти́ не под си́лу. А на четвёртый день, когда́ они́ бы́ли уже́ в пути́, на не́бе появи́лись тёмные облака́*, и часо́в в оди́ннадцать пошёл

облако

дождь, снача́ла ме́лкий-ме́лкий, но пото́м всё сильне́е и сильне́е. Но ни Светло́в, ни Ве́трин не обраща́ли на него́ внима́ния и не заме́тили, как они́ ста́ли совсе́м мо́крыми и холо́дными. Бы́ло бы лу́чше останови́ться и спря́таться от дождя́, но Светло́в реши́л, что вре́мя сли́шком до́рого. Часа́ че́рез два на́чал па́дать лёгкий снег. Светло́в не замеча́л сне́га и всё ещё тащи́л волоку́шу вперёд, но вдруг он упа́л в снег. Не́которое вре́мя он лежа́л, а пото́м подня́лся, взял реме́нь и пошёл да́льше.

Наконе́ц Светло́в реши́л останови́ться, но пре́жде чем заже́чь костёр, он взял из рюкзака́ буты́лку вина́. Он по́дал Ве́трину и сказа́л:

— Вы́пей!

Ветрин выпил крепкое вино, а Светлов пить не стал. Он опять спрятал бутылку в рюкзак. Потом он взял топор и стал собирать дерево для костра. Он устроил палатку над волокушей и переоделся* в сухое бельё*. Ветрин переодеться не мог, и Светлову пришлось помочь ему. Потом он лёг рядом с Ветриным и сразу же заснул.

Ночью было очень холодно, и Ветрин часто просыпался и следил за костром.

На следующее утро шёл густой снег. Они выпили горячий чай, съели немного хлеба и потом двинулись дальше через глубокий снег. Мало-помалу небо стало светлее, снег перестал идти, и они шли до вечера. Но теперь они проходили за день не более пяти-семи километров.

Однажды поздно днём перед ними появилась река. Светлову пришлось раздеться* и несколько раз перейти через холодную воду с вещами на плечах. Только Ветрина тащить на плечах было почти невозможно, но Светлов старался, как мог, и ему удалось перетащить* товарища на другой берег. От этого Светлов очень устал, ему было очень трудно идти и он всё чаще останавливался чтобы отдыхать.

Оба поняли, что положение становилось всё труднее: остался ещё очень долгий путь, провианта очень мало, и сил у них почти больше не было.

---

* переодеться: надеть другой костюм
* бельё: то, что надевают под костюмом
* раздеться: снять костюм
* перетащить: тащить с одного места на другое

ВОПРО́СЫ

1. Что случи́лось на четвёртый день?
2. Почему́ не хоте́л Светло́в останови́ться?
3. Что вдруг случи́лось со Светло́вым?
4. Что по́дал Светло́в Ве́трину?
5. Сам ли он то́же вы́пил вино́?
6. Что де́лал Светло́в по́сле того́, как он устро́ил пала́тку?
7. Кака́я пого́да ста́ла на сле́дующий день?
8. Как они́ прошли́ че́рез ре́ку?
9. Почему́ положе́ние тепе́рь о́чень тру́дно?

8

Вечером Ветрин, как обычно, готовил суп, но в этот раз он взял для себя только одну часть, а две части отдал Светлову.

— Что это за глупость! — сказал тот и отказался от супа.

Но Ветрин стоял на своём, и, наконец, Светлов решил, что, может, это правильно — и съел суп.

Несколько дней солнце светило и снег почти исчеэ, но всё-таки зима приближалась. Становилось всё холоднее, и начался сильный ветер. Теперь они очень часто кричали друг на друга, враждовали*.

Они были в десяти-двенадцати километрах от реки Улука, когда началась метель*. Встречный ветер почти не давал двигаться вперёд. После двух часов Светлов

* враждовать: быть врагами
* метель: сильный ветер со снегом

упа́л на снег. Ве́трин попо́лз к нему́, что́бы че́м-нибудь помо́чь, но как то́лько Светло́в уви́дел его́, он закрича́л, что э́то он, Ве́трин, во всём винова́т, что он дура́к, кото́рого давно́ пора́ бро́сить в тайге́.

— Замолчи́! — закрича́л Ве́трин, — замолчи́, говорю́.

И он бы́стро попо́лз к волоку́ше, взял свои́ ве́щи и костыли́ и запры́гал вон. Не́нависть* дала́ ему́ но́вые си́лы. А за ним разда́лся смех Светло́ва. Но как то́лько Ве́трин исче́з за дере́вьями, Светло́в переста́л смея́ться. Он подня́лся и потащи́л лёгкую волоку́шу. Ме́тров че́рез сто Светло́в уви́дел ружьё, кото́рое бро́сил Ве́трин, но он не по́днял его́. Ещё че́рез сто ме́тров он нашёл геологи́ческий молото́к и то́же не по́днял, но когда́ он уви́дел топо́р, он поду́мал о Ве́трине: «Дура́к! Без топора́ в тайге́ пропадёшь». Он приба́вил ша́гу и вско́ре нашёл самого́ Ве́трина. Тот сиде́л на земле́, и глаза́ его́ бы́ли закры́ты.

— Вот что, — ти́хо, почти́ ла́сково сказа́л Светло́в и толкну́л его́ в плечо́, — вре́мя до́рого, ложи́сь на волоку́шу.

Он помо́г ему́ подня́ться и лечь и сам устро́ил ве́щи.

По́здно ве́чером, когда́ они́ сиде́ли у костра́, Ве́трин откры́л су́мку и доста́л плиту́* шокола́да. Э́ту плиту́ положи́ла ему́ в су́мку Со́ня, когда́ он уходи́л в путь.

— Возьми́, — сказа́л он Светло́ву, — съешь всё.

Но Светло́в не хоте́л есть.

— Я хочу́, что́бы ты живы́м пришёл в Ольхо́вну, ина́че вся э́та исто́рия потеря́ет смысл. —

---

* не́нависть, от сло́ва ненави́деть, см. стр. 13

34

плита́ шокола́да

На сле́дующий день они́ добрали́сь до реки́ Улу́ка. Они́ до́лго гляде́ли на бы́струю, живу́ю во́ду ме́жду льди́нами*. В пе́рвый раз за после́дние неде́ли показа́лась на уста́лом лице́ Светло́ва ма́ленькая улы́бка. Он почти́ ла́сково смотре́л на Ве́трина.

— Мы успе́ем, — реши́л он.

ВОПРО́СЫ

1. Почему́ Светло́в реши́л бо́льше есть, чем Ве́трин?

2. Как они́ тепе́рь относи́лись друг к дру́гу?

3. Что сказа́л Светло́в, когда́ Ве́трин хоте́л помо́чь ему́?

4. Что реши́л по́сле э́того Ве́трин?

5. Бро́сил ли Светло́в това́рища?

6. Что доста́л Ве́трин ве́чером из су́мки?

7. Что случи́лось, когда́ они́ добрали́сь до реки́ Улу́ка?

---

* льди́на, см. стр. 37

9

Два дня Светло́в собира́л дере́вья. Из них они́ сде́лали себе́ тако́й большо́й и тяжёлый плот*, что они́ едва́ смогли́ сдви́нуть* его́ с ме́ста, но, наконе́ц, перетащи́ли его́ на бе́рег.

Утром Светло́в устро́ил все ве́щи на плот. Вдруг он из су́мки доста́л кусо́к ка́мня и показа́л Ве́трину.

— Краси́вый, пра́вда?

— Очень, — ти́хо отве́тил Ве́трин. Он лёг на пала́тку, а Светло́в взя́лся за рулево́е весло́*, и плот бы́стро и ро́вно понёсся по реке́.

Светло́в хоте́л сам вести́ плот по реке́ и день за днём сиде́л у рулево́го весла́. Но́чью он иногда́ засыпа́л немно́го, но вдруг просыпа́лся и напряжённо гляде́л вперёд и по сторона́м, когда́ разда́лся незнако́мый шум. Никогда́ они́ не зна́ли, что ждёт их впереди́.

Иногда́ Светло́в ду́мал о Со́не, но ду́мал он о ней споко́йно и не серди́лся ни на неё, ни на Ве́трина. Его́ не интересова́ло, как он встре́тится с Со́ней. Он да́же немно́го удиви́лся э́тому! Стал ли он от всех э́тих тяжёлых веще́й совсе́м други́м челове́ком?

А Ве́трин ни о чём не ду́мал. Он про́сто ждал. Ждал встре́чи с Со́ней, ждал, когда́ его́ поло́жат на чи́стую больни́чную крова́ть — и то́же ма́ло спал.

Наконе́ц впереди́, на высо́ком берегу́, показа́лись дома́. Это могло́ быть то́лько Ольхо́вна. Светло́в повёл плот к бе́регу, и плот ме́дленно останови́лся. Светло́в

---

* сдви́нуть: заста́вить дви́гаться

льди́на

рулево́е весло́

плот

помо́г Ве́трину вы́йти на бе́рег и пото́м взял ве́щи. От э́того движе́ния плот опя́ть понёсся да́льше. Мо́лча Светло́в проводи́л его́ глаза́ми.

Пото́м он ме́дленно подня́лся по высо́кому бе́регу и останови́лся на краю́. Там он уви́дел же́нщину, кото́рая бежа́ла к нему́. Э́то была́ Со́ня, он узна́л её. Наве́рное, кто́-то уви́дел, что они́ прие́хали.

— Где Са́ша? — напряжённо спроси́ла Со́ня.

Светло́в не сра́зу вспо́мнил, что Са́ша — э́то Ве́трин. Но как то́лько он по́нял, он показа́л на бе́рег. Со́ня ти́хо закрича́ла и побежа́ла под го́ру.

Светло́в следи́л за ней и смотре́л, как она́ станови́лась всё ме́ньше и ме́ньше и наконе́ц упа́ла ря́дом с Ве́триным на снег. Они́ о́ба показа́лись ему́ таки́ми ма́лень-

кими, и ещё ему́ каза́лось, что он не име́ет к ним никако́го отноше́ния.

Он споко́йно взял су́мку на плечо́ и пошёл по широ́кой дереве́нской у́лице, что́бы встреча́ть това́рищей, кото́рые уже́ спеши́ли к нему́.

ВОПРО́СЫ

1. Что они́ сде́лали себе́?

2. Что Светло́в показа́л Ве́трину?

3. Кто вёл плот по реке́?

4. Что Светло́в тепе́рь ду́мал о Со́не и о Ве́трине?

5. По́нял ли он, что с ним случи́лось?

6. Кто пе́рвым встре́тил его́ в Ольхо́вне?